RATUS POCHE

COLLECTION DIRIGÉE PAR JEANINE ET JEAN GUION

Les imbattables

Le mystérieux nouveau

Les imbattables

- La rentrée de Manon
- Le chien de Quentin
- Barnabé est amoureux !
- Le courage de Manon
- Le mystère du cheval sauvage
- Les éléphants en danger
- Manon et le bébé loup
- Les imbattables aux jeux olympiques
- Le mystérieux nouveau

© Hatier Paris 2013, ISSN 1259 4652, ISBN 978-2-218-97434-2

Les imbattables

Le mystérieux nouveau

Une histoire d'Olivier Daniel
illustrée par Pascal Gauffre

Les imbattables : Quentin, Barnabé, Fanny, Léo et Manon, cinq copains très différents qui se chamaillent parfois, mais finissent toujours par se réconcilier !

M. et Mme Dupin

Les personnages de l'histoire

Pour Gabriel et Niels.

1

Un mercredi après-midi, Manon Dremer alluma l'ordinateur de son père pour se connecter au blog des imbattables. C'était le nom du clan qu'elle formait avec ses copains, Fanny, Léo, Quentin et Barnabé.

Elle vit qu'il y avait un message sur le blog. Il venait de Florian, le nouvel élève de sa classe. Manon se pencha vers l'écran de l'ordinateur et lut :

« Au secours ! J'ai besoin d'aide. Venez vite chez moi ! Florian. »

Elle contacta aussitôt ses amis pour un conseil de guerre exceptionnel. Un quart

Qui veut aider Florian ?

d'heure plus tard, les imbattables arrivèrent à leur cabane, construite dans un arbre.

Fanny et Manon tombèrent d'accord pour aider le nouveau. Mais Léo, Quentin et Barnabé n'étaient pas du même avis.

– Il n'a qu'à se débrouiller tout seul, ronchonna Quentin.

– Moi, je crois que Florian veut nous attirer dans un piège, ajouta Barnabé.

– C'est un menteur, dit encore Léo.

– Mais il est peut-être en danger de mort ! s'écria Fanny, choquée par la réaction des trois garçons.

– Nous devons l'aider ! fit Manon, révoltée. Sinon, nous serions une bande de lâches !

Léo et Barnabé haussèrent les épaules. Quentin parut gêné. Manon et Fanny se penchèrent l'une vers l'autre pour échanger

3

quelques mots à voix basse. Tout à coup, elles firent claquer leurs paumes et se levèrent d'un bond.

– Où allez-vous ? leur demanda Quentin.

– Nous allons sauver Florian ! répondirent les deux filles.

Elles quittèrent la cabane des imbattables. Quentin voulut les suivre, mais Léo l'en empêcha.

Tout en marchant à travers les rues, Fanny et Manon se demandèrent pourquoi leurs copains avaient refusé de porter secours à Florian. Brusquement le visage de Manon s'éclaira :

– J'ai compris ! s'écria-t-elle.

– Moi aussi, dit Fanny.

La veille, devant leurs trois amis, elles avaient déclaré que Florian était le plus beau garçon de la classe.

— Léo, Quentin et Barnabé doivent être très jaloux, dit Fanny avec un petit sourire en coin.

Manon acquiesça. Il était vrai que Florian avait de jolis yeux verts.

*

Quelques minutes plus tard, Fanny et Manon s'arrêtèrent près d'une grille derrière laquelle se dressait une belle maison. Florian et ses parents s'étaient installés là depuis trois semaines.

Les deux filles crurent voir une silhouette passer derrière une fenêtre. Était-ce l'ombre d'un fantôme ? Elles échangèrent un regard inquiet. Maintenant, elles avaient peur d'appuyer sur le bouton de la sonnette situé sur un pilier de la grille.

— Je ne suis pas rassurée, bredouilla Manon.

— Moi non plus, reconnut Fanny.

– Je vous attendais ! lança une voix en provenance de la maison.

Et la grille s'ouvrit.

Soudain, les deux filles se rappelèrent ce que leur avait dit Barnabé dans la cabane des imbattables :

« Moi, je crois que Florian veut nous attirer dans un piège. »

Si leur copain avait vu juste, elles étaient en grand danger ! Manon et Fanny frissonnèrent et se blottirent l'une contre l'autre.

2

Quentin avait fini par convaincre Barnabé et Léo de l'accompagner jusque chez Florian.

— Je ne veux pas que les filles me prennent pour un lâche, leur avait-il dit.

Barnabé et Léo non plus n'avaient pas envie de passer pour des peureux, mais ils continuaient à penser que Florian ne méritait pas d'être aidé.

Les trois garçons arrivèrent bientôt devant la maison du nouvel élève de la classe. Ils virent que la porte d'entrée était grande ouverte.

— Bizarre, murmura Léo en pensant qu'une bête sauvage rôdait peut-être dans les parages.

– J'ai un mauvais pressentiment, chuchota Quentin.

Il regarda de tous côtés et crut apercevoir la silhouette de Kimberley, sa sœur jumelle, qui passait son temps à embêter tout le monde avec sa bande : les murènes.

– Allons-y, souffla Barnabé d'un air décidé. Sinon il sera trop tard pour sauver Manon et Fanny.

Barnabé était le plus fort des imbattables et il était souvent aussi le plus courageux du clan. Il prit une grande inspiration et appuya sur le bouton de la sonnette. Léo et Quentin retinrent leur souffle.

Trois secondes s'écoulèrent sans que rien ne se passe. Puis Quentin aperçut Fanny derrière l'une des fenêtres située au deuxième étage. Où était Manon ? Prisonnière dans une cave remplie de rats affamés ?

– Et si on prévenait la police ? dit Quentin.

– On fonce, répliqua Barnabé en essayant d'ouvrir la grille qui lui barrait le chemin de la maison de Florian.

Mais il eut beau la secouer et lui donner de grands coups d'épaule, elle tint bon.

Le garçon aux yeux verts apparut dans l'encadrement de la porte d'entrée.

– Où sont Fanny et Manon ? cria Barnabé.

– Là-haut, répondit Florian. Entrez !

La grille s'ouvrit. Quentin, Léo et Barnabé échangèrent un regard méfiant. Étaient-ils en train de se jeter dans la gueule du loup ? À cet instant, Fanny apparut derrière la vitre d'un œil-de-bœuf situé tout en haut de la façade, presque sous le toit. Elle fit des signes et cria pour attirer l'attention de ses copains. Mais ils

Qui apparaît derrière la vitre de l'œil-de-bœuf ?

ne l'entendirent pas. Quel dommage ! Car elle semblait vouloir leur dire quelque chose de très important. Florian l'avait-il attirée dans un piège effroyable ? Était-elle poursuivie par un vampire en manque de sang ? Quentin la vit enfin et la montra du doigt à Barnabé et à Léo. Mais aucun d'eux ne comprit le message qu'elle voulait faire passer avec ses grands gestes des bras.

– Elle a l'air complètement affolée, souffla Barnabé.

Soudain elle sembla secouer la lucarne, qui finit par s'ouvrir en grinçant.

– Venez vite ! s'écria Fanny. On a besoin de vous !

En courant vers leur amie, Barnabé et Léo faillirent bousculer Florian, qui eut tout juste le temps de se pousser de côté. Ensuite ils se ruèrent dans un grand escalier et ils manquèrent de tomber sur les marches. Léo ne voulait surtout pas se laisser distancer par Barnabé, soucieux de montrer que, lui aussi, pouvait être courageux. Et il l'était le plus souvent, tout comme l'était Quentin, qui réussissait à surmonter ses peurs pour aller de l'avant. Pour l'heure, Quentin suivait ses copains à distance, handicapé par sa jambe droite qui lui faisait toujours un peu mal depuis que Kimberley l'avait poussé dans l'escalier quand ils étaient enfants.

Lorsqu'ils parvinrent sur le palier du deuxième étage, Barnabé et Léo virent Fanny, les cheveux en désordre.

– Ce n'est pas trop tôt, marmonna-t-elle. Si vous n'étiez pas venus à notre aide, je crois que les imbattables… c'était fini.

Barnabé grimaça.

– Où est Manon ? dit Léo.

– Suivez-moi, reprit Fanny.

Ils s'engouffrèrent dans un couloir au bout duquel se tenait leur amie. Manon était debout devant l'une des fenêtres qui donnaient sur la maison des voisins de Florian. Elle regardait au-dehors à travers une paire de jumelles.

– Que se passe-t-il ? lui demanda Barnabé.

Il n'obtint pas de réponse.

– Ohé ! On est là, fit Léo, sans davantage de résultat.

Figée, Manon semblait pareille à une statue, comme hypnotisée par ce qu'elle voyait.

Peu après, Barnabé et Léo reconnurent le pas de Quentin qui arrivait à leur hauteur. Il était accompagné de Florian qui toussota et dit :

– Merci à tous d'avoir répondu à mon message. J'ai beaucoup réfléchi avant de vous l'envoyer. Mais… comme mes parents n'ont pas voulu m'aider, j'ai besoin de vous pour sauver Coco.

– Coco ? fit Barnabé.

– Qui est Coco ? demanda Léo.

– Drôle de nom, ajouta Quentin.

– C'est moi qui l'ai baptisé comme ça, répondit Florian. En réalité, je ne connais pas son vrai nom parce que ses maîtres ne parlent jamais aux gens qu'ils ne connaissent pas et ils ne reçoivent jamais de visite… Ils me font un peu peur.

– Mais qui est Coco ? répéta Léo.

Manon se retourna. Elle était d'une pâleur extrême. Elle semblait bouleversée. Elle fit quelques pas en chancelant et tendit les jumelles à Quentin. Il les saisit et marcha vers la fenêtre. Verrait-il un géant ? Un monstre ? Un extraterrestre ? Il réprima un tremblement, s'essuya le front du revers de la main et approcha lentement – très lentement – les jumelles de ses yeux. Alors ce qu'il vit le stupéfia : dans la véranda de la maison voisine, se trouvait une cage renfermant un jeune chimpanzé dont le regard était d'une tristesse infinie.

– Incroyable ! fit Quentin, qui ne supportait pas de voir les animaux souffrir. Je n'ai jamais ressenti une aussi grande détresse dans d'aussi petits yeux. Les gens qui retiennent ce singe prisonnier sont des criminels !

Barnabé s'empara des jumelles et regarda lui aussi chez les voisins.

– Mais c'est affreux ! s'indigna-t-il. Cette

Que voit Quentin dans les jumelles ?

pauvre bête est en train de mourir de désespoir !

Léo lui succéda devant la fenêtre et resta atterré face à l'abominable spectacle du petit 13 chimpanzé le plus malheureux du monde.

– C'est scandaleux ! cria-t-il. Il faut faire quelque chose !

– Oui, mais quoi ? demanda Fanny.

– J'ai trouvé comment sauver Coco, dit tout à coup Manon.

Tous les regards se tournèrent vers elle.

3

Manon était très satisfaite de l'effet qu'elle venait de produire, surtout auprès de Florian qui la fixait intensément avec ses grands yeux verts. Lui était impatient de savoir comment elle comptait s'y prendre pour sortir Coco de sa prison. Car avant d'en arriver là, il leur faudrait pénétrer chez les voisins, ces gens si bizarres qui paraissaient n'aimer personne.

– J'ai une idée, dit brusquement Fanny à Florian : on va proposer à tes voisins de tondre leur pelouse en échange de quelques euros qui nous aideront pour notre voyage de fin d'année en Angleterre.

— Et Coco ? demanda-t-il.

— Une fois sur place, poursuivit Fanny, je trouverai un prétexte pour aller dans la véranda. 14 Je cacherai Coco dans un sac à déchets et… je lui sauverai la vie !

— Bravo ! fit Florian.

Mais lorsqu'il voulut s'approcher de Fanny pour la féliciter, Manon, furieuse, se planta devant lui et s'écria :

— C'était mon idée ! Elle me l'a volée !

Fanny et Manon échangèrent un regard aussi noir que les sourcils de M. Razulec, l'instituteur des imbattables, qui projetait de les emmener à Londres. Allaient-elles se fâcher pour toujours ?

Le petit groupe regagna rapidement le rez-de-chaussée et Florian parla de ses voisins, M. et Mme Dupin :

— Ils sont toujours habillés en gris et ils ne sourient jamais, raconta-t-il. Ils viennent peut-être d'une autre planète…

— Ils ont des têtes d'envahisseurs ? demanda Léo.

— Des têtes de gens qui font la tête, répondit Florian. Qui va sonner chez eux pour leur proposer de tondre leur pelouse ?

— Moi ! répondit Manon. Je vais y aller tout de suite. Et seule !

— Seule ? s'étrangla Quentin. Mais c'est hyper dangereux…

— Je n'ai peur de rien, ajouta Manon en regardant Florian. Faites-moi confiance. Je vais réussir.

Fanny serra les dents, consciente que sa copine venait de marquer un point dans la rivalité qui les opposait toutes les deux pour attirer l'attention du garçon aux yeux verts.

*

À présent, Manon se trouvait devant la porte de la maison des Dupin. Barnabé, Fanny, Léo, Quentin et Florian se tenaient à dix mètres de là, accroupis derrière une camionnette en stationnement. Ils étaient prêts à intervenir, au cas où Manon aurait besoin de leur aide.

– Nous arriverons très vite si les Dupin te font du mal, lui avait promis Barnabé.

– Tu peux compter sur moi, avait dit Léo.

– Et sur moi aussi, avait ajouté Quentin.

Malgré cela, Manon n'était pas rassurée. Elle avait peur que les voisins l'enferment dans une cage, comme ils l'avaient fait avec Coco, dont le regard désespéré ne quittait plus ses pensées. C'était un regard qui lui serrait le cœur et lui donnait envie de pleurer. Pauvre chimpanzé…

De quoi Manon a-t-elle peur avant de sonner chez les Dupin ?

Manon sentit un petit caillou heurter son épaule droite. Elle sursauta, se retourna et vit Barnabé sortir de sa cachette pour lui faire signe de se dépêcher. Elle prit une profonde inspiration et se décida enfin à sonner à la porte de M. et Mme Dupin.

Suivit un long moment de silence pendant lequel Manon eut toutes sortes d'idées noires, dont celle-ci : elle s'imagina transformée en chimpanzé. C'était terrible, car non seulement sa mère et son petit frère Joachim ne la reconnaissaient pas, mais encore son père appelait Police-Secours pour demander qu'on l'enferme dans un zoo !

Quand la porte des Dupin s'ouvrit, Manon entendit une sorte de grincement qui se termina dans un bruit terrifiant de mâchoire animale. Elle sentit ses jambes se dérober sous elle et un frisson glacial lui parcourut le corps. Soudain le soleil sortit de derrière les nuages et ses rayons l'aveuglèrent. Manon dut fermer les paupières. Alors une ombre se planta devant elle…

4

Trois minutes s'étaient écoulées depuis l'entrée de Manon chez M. et Mme Dupin ; des minutes qui parurent durer une éternité pour ses copains, tous bien cachés derrière la camionnette.

– J'ai peur qu'ils l'aient capturée, finit par dire Florian, la gorge serrée.

– Il est temps d'aller la sortir de là ! déclara Barnabé.

– Je viens avec toi, dit Léo.

– Moi aussi, dit Quentin.

– On y va tous ! reprit Florian.

Ils se tournèrent vers Fanny. Celle-ci leur

adressa un pâle sourire. Désormais, elle était très inquiète pour sa copine : elle lui manquerait beaucoup si par malheur les Dupin la faisaient disparaître.

Fanny se souvint de leur première rencontre : Manon portait une robe verte plutôt laide et elles avaient éclaté de rire en imaginant qu'elles offraient cette robe à Kimberley, la sœur jumelle de Quentin. Fanny se rappela également qu'à chaque fois qu'elle-même et Manon avaient été en danger, elles s'étaient serrées l'une contre l'autre pour se sentir plus fortes.

Soudain la porte des Dupin s'ouvrit et Manon apparut, droite comme un i. Ses copains coururent vers elle.

— Les as-tu vus ? lui demanda Barnabé une fois qu'il fut devant son amie.

– Oui, répondit-elle avec un petit sourire destiné à Florian. J'ai réussi à les convaincre, pour la pelouse.

– Génial ! s'écria-t-il. Bravo, Manon ! Tu es la plus courageuse de toutes les filles que j'ai rencontrées !

Cette phrase la fit rougir de bonheur. Les joues de Fanny aussi devinrent rouges… mais de colère.

Le petit groupe retourna chez Florian pour mettre au point l'opération *Sauvons Coco*. Léo proposa d'emprunter la tondeuse à gazon de son père. Quentin se chargerait d'amener des sacs destinés à recevoir les déchets végétaux et Manon irait chercher un râteau pour ramasser les feuilles mortes.

– Vous êtes tous formidables ! dit Florian. Rendez-vous dans une demi-heure, devant la grille des Dupin. D'accord ?

Ses grands yeux verts brillaient comme des étoiles.

*

De retour chez elle, Manon fut victime d'un piège tendu par son frère Joachim : il l'enferma dans les toilettes, dont il coinça la porte à l'aide d'une planche en bois.

— Pourquoi es-tu aussi méchant avec moi ? lui demanda-t-elle.

— Parce qu'hier soir tu m'as empêché de voir la fin du match de foot à la télé ! lança Joachim. Je t'avais prévenue que je me vengerai, ma vieille ! Eh bien voilà, ça t'apprendra à m'embêter !

— Tu es le plus nul de tous les frères du monde ! répliqua Manon.

Mais elle eut beau crier, protester, taper du

poing et menacer, elle ne fut libérée qu'au bout de quinze longues minutes.

– Je dirai tout aux parents quand ils rentreront ce soir ! s'écria-t-elle, furieuse. Et tu seras puni le week-end prochain !

– Si tu fais ça, répliqua Joachim, moi je dirai à papa que tu t'es servie de son ordinateur alors que c'est interdit !

Manon voulut lui donner un coup de pied, mais le manqua. Elle dut se contenter de lui tirer la langue et courut chercher le râteau dans le garage, mais elle ne le trouva pas. Très vite, ce fut le petit chimpanzé qui occupa son esprit. Elle imagina qu'elle faisait des gros câlins à Coco. Son pelage était doux comme un doudou. Ils devenaient amis. Elle lui confiait tous ses soucis, tous ses espoirs et toutes ses craintes. Elle lui aménageait un bon petit lit

Que Manon rêve-t-elle d'apprendre
au petit singe ?

douillet, juste à côté du sien. Elle lui apprenait à parler, à s'habiller et à se laver. Lui, en échange, lui apprenait comment se déplacer de branche en branche. Ils s'amusaient comme des fous. Un jour, un metteur en scène leur proposait de tourner dans un film. Ils avaient beaucoup de succès. Ils devenaient célèbres et riches. Leur histoire faisait le tour du monde et on les invitait à la télévision.

Soudain, Manon se rappela qu'elle devait rejoindre ses amis devant la maison des Dupin. Elle trouva enfin le râteau derrière une pile de cartons. Un coup d'œil à sa montre lui permit de se rendre compte qu'elle avait cinq minutes de retard, à cause de son frère. Il allait le payer très cher. Elle ne lui ferait plus de cadeau jusqu'au jour de ses dix-huit ans. Ce serait bien fait pour lui !

Manon sortit de chez elle en claquant la porte. Arrivée dans la rue, elle faillit se tordre une cheville en évitant une bicyclette conduite par un homme qui, par sa faute, manqua de tomber. Elle s'excusa d'un mouvement de tête et regarda une nouvelle fois sa montre : elle avait maintenant près de sept minutes de retard. Elle allait manquer le rendez-vous avec ses amis ! Et elle ne pouvait pas compter sur Fanny pour l'attendre… à cause du garçon aux yeux verts… Quelle angoisse ! Fanny devait déjà se trouver auprès de Coco le petit singe… sous le regard admiratif de Florian… C'était trop injuste ! Manon serra les dents pour ne pas fondre en larmes.

5

Manon courut le plus vite possible, son râteau à la main. Son cœur battait à tout rompre. Elle avait très mal aux mollets. Mais elle ne devait pas ralentir, sinon elle arriverait trop tard pour venir en aide au chimpanzé et elle s'en voudrait toute sa vie.

Après cinq longues minutes d'une course éprouvante, elle vit enfin la maison des Dupin, à quelque cent mètres devant elle. Ses quatre copains et Florian s'apprêtaient à franchir la grille. Léo poussait une tondeuse à gazon. Quentin et Barnabé étaient chargés de sacs à déchets. Fanny fermait la marche. Manon

16

voulut crier pour leur signaler sa présence.
Mais aucun son ne put sortir de sa bouche.
Elle était hors d'haleine. Bientôt ses jambes ne
la porteraient plus. Alors elle s'affaisserait au
milieu de la rue…

Manon trébucha contre une pierre. Elle
perdit l'équilibre et faillit tomber en avant. Par
chance, deux mains la rattrapèrent de justesse,
lui évitant ainsi de chuter lourdement. C'étaient
les mains de Fanny. Manon la remercia d'un
petit hochement de tête et elles franchirent
ensemble la grille qui devait les mener à Coco.

– Dépêchez-vous, leur dit Mme Dupin.

Il s'agissait d'une femme âgée d'une cinquan-
taine d'années, coiffée d'un chignon qui lui
donnait un air sévère. Elle paraissait maintenant
regretter d'avoir convié chez elle cette bande
d'apprentis jardiniers.

— Je ne pensais pas que vous seriez aussi nombreux, reprit Mme Dupin à l'adresse de Manon, qui peinait à reprendre son souffle.

— C'est pour aller plus vite, répliqua Fanny avec assurance.

Celle-ci prit le commandement de l'opération *Sauvons Coco*.

Elle s'empressa de distribuer les rôles :

— Léo et Barnabé, vous tondrez la pelouse. Florian et Quentin, vous ramasserez l'herbe coupée. Manon et moi, nous nous occuperons des feuilles mortes. Ah ! Je vois qu'il y en a quelques-unes dans la véranda…

— Interdiction de pénétrer dans la véranda, dit tout à coup une voix grave qui fit sursauter Florian et les imbattables.

C'était la voix de M. Dupin, un homme au regard aussi triste que ses habits. Cette tristesse

Qui a un plan pour entrer dans
la véranda ?

cachait-elle une très grande méchanceté ou, pire encore, une véritable cruauté ? M. Dupin s'efforça de sourire et ajouta :

– Au travail, les enfants. Si vous avez besoin de quelque chose, appelez-moi ou appelez ma femme. Bon courage !

Les Dupin tournèrent les talons et disparurent dans leur maison, laissant Florian et les imbattables désemparés. Comment allaient-ils s'y prendre pour libérer Coco maintenant que l'entrée de la véranda leur était interdite ?

– J'ai un plan, murmura Léo en se dressant sur la pointe des pieds, comme il le faisait parfois pour paraître plus grand.

– Ça m'étonnerait qu'une demi-portion comme toi soit capable d'avoir un plan, ricana Fanny.

Léo lui lança un regard furieux. Il détestait

quand on se moquait de sa petite taille.

– Quel est ton plan ? lui demanda Barnabé à mi-voix.

– Je ne vous le dirai pas, répliqua Léo, d'un ton sec. Tant pis pour Coco et tant pis pour vous.

Fanny s'excusa de l'avoir traité de demi-portion, et il consentit à parler de son plan.

*

Quelques instants plus tard, Léo fit semblant d'avoir un malaise. Il se laissa tomber sur la pelouse et resta immobile, la bouche entrouverte et les bras raides. Barnabé s'agenouilla près de lui et ils échangèrent un clin d'œil. Manon, Fanny, Quentin et Florian les rejoignirent, en affichant une mine soucieuse. Léo murmura : « Je suis prêt. » Puis il ferma les paupières. Barnabé se redressa, se tourna vers la maison et cria de toutes ses forces :

– Au secours ! Mon copain est tombé ! Il ne bouge plus.

– À l'aide ! ajouta Fanny.

– À l'aide ! répéta Manon.

– Il ne bouge plus du tout, insista Quentin.

– Vite ! hurla Florian.

Les Dupin accoururent dans le jardin et s'occupèrent de Léo. M. Dupin lui parla très doucement. Mme Dupin lui tapota les joues pour l'aider à reprendre ses esprits.

– Ne t'inquiète pas, lui murmura-t-elle pour le rassurer.

Léo n'était pas inquiet, bien au contraire : tout se déroulait comme il l'avait prévu dans son plan. Ainsi, Manon et Fanny profitèrent du moment où les Dupin étaient penchés au-dessus de lui pour s'approcher de la véranda. Manon y entra seule. Fanny préféra rester à l'entrée, pour faire le guet.

Manon marcha vers la cage à pas de loup. En la voyant, Coco se dressa sur ses jambes et lui lança son regard triste et bouleversant. Elle eut envie de le prendre dans ses bras. Il lui tendit les siens et son visage s'éclaira d'un sourire.

– Je te sauverai, lui dit-elle. Avec moi, tu seras bien, tu n'auras plus jamais rien à craindre.

Ils étaient maintenant si proches l'un de l'autre que leurs doigts se frôlèrent à travers les barreaux de la cage. À cet instant, Fanny poussa un cri qui fit sursauter Coco et Manon. Celle-ci se retourna vers sa copine et lui demanda :

– Que se passe-t-il ?

Fanny montra Léo, là-bas dans le jardin, qui venait de se relever, soutenu par M. Dupin. Mieux valait qu'elles partent en vitesse avant qu'on ne les prenne en faute.

– Je reviendrai, promit Manon à Coco.

Il secoua la tête et lui fit un petit signe de la main.

6

Après avoir tondu la pelouse des Dupin, Manon, Barnabé, Léo, Quentin, Florian et Fanny se retrouvèrent dans la cabane des imbattables. Tous étaient bien conscients que l'opération *Sauvons Coco* était un échec.

Pour se changer les idées, Léo, Barnabé et Quentin décidèrent d'aller jouer au football.

– Je peux venir avec vous ? leur demanda Florian.

– Tu sais jouer ? dit Léo, méfiant.

– Je m'entraîne avec mon grand frère qui fait partie de l'équipe de France de football ! répondit Florian.

– Je vais avec vous ! lança Fanny.

Elle avait très envie de voir jouer Florian. Manon, elle, préféra rester seule. Elle ne parvenait pas à oublier le regard triste du chimpanzé. Saurait-elle un jour ce qui lui était arrivé ?

Soudain, elle entendit du bruit au pied de l'arbre dans lequel était construite la cabane de son clan.

– Qui est là ? demanda-t-elle.

Elle n'obtint pas de réponse et frissonna.

– Qui est là ? répéta Manon.

Elle perçut comme un grognement et pensa que ses copains lui faisaient une blague. Ce ne serait pas la première fois.

– Je n'ai pas peur de vous ! claironna-t-elle en descendant l'échelle de corde que Barnabé avait accrochée au plancher de la cabane.

Arrivée au pied de l'arbre, elle poussa un « Ah ! » de stupeur en voyant le petit chimpanzé jaillir hors d'un buisson et se planter devant elle. Il la regarda en grimaçant, puis il se frappa le ventre, s'empara du pull de Manon et le mit sur ses épaules. Elle eut un rire nerveux. Elle avait tout de même un peu peur des réactions de l'animal. Alors Coco, vif comme l'éclair, sauta dans ses bras et noua les jambes autour de sa taille. Ensuite, il resta sans bouger, blotti contre elle, se contentant d'émettre de brefs grognements de satisfaction. On aurait dit une grosse peluche. Manon se détendit lentement et commença à caresser le petit chimpanzé. Son pelage était doux.

– Tu vas bien ? lui demanda-t-elle.

En guise de réponse, Coco lui fit un gros bisou dans le cou. Manon en fut émue aux larmes. Le singe commença à lui épouiller les cheveux.

– Je vais m'occuper de toi, ajouta-t-elle en l'embrassant. Plus personne ne te fera du mal…

– Mais personne ne lui veut du mal, dit soudain une voix grave.

C'était celle de M. Dupin qui venait d'arriver au pied de la cabane des imbattables. Il s'adossa contre le tronc d'arbre et poursuivit :

– C'est la toute première fois que Bonito sort de sa cage depuis le départ de son maître… J'ai l'impression qu'il t'a suivie…

– Il s'appelle donc Bonito, fit Manon.

M. Dupin fit oui de la tête.

– Qui était son maître ? reprit Manon.

– Mon fils Sébastien, répondit M. Dupin. Il travaillait dans un cirque. C'est lui qui a dressé

Où était le petit singe avant de rencontrer les imbattables ?

Bonito. Ensemble ils faisaient un beau numéro : ils sautaient sur un trampoline et ils effectuaient toutes sortes de cabrioles dans les airs. Ils étaient inséparables. Seulement voilà : il y a un mois, Sébastien a rencontré une jeune femme dont il est tombé amoureux fou. Il est parti avec elle un matin, abandonnant son animal et son travail au cirque. Depuis ce jour, Bonito est si triste qu'il ne mange presque plus et qu'il reste au fond de sa cage. Ma femme et moi, nous avons essayé à plusieurs reprises de l'en faire sortir, mais sans succès. Jusqu'à aujourd'hui, où il s'est enfui… pour te rejoindre. Tu es entrée dans la véranda tout à l'heure ?

Manon acquiesça et s'excusa d'avoir désobéi. Puis elle dit :

– S'il vous plaît, confiez-moi Bonito ! J'en

prendrai soin ! Je lui donnerai les meilleures bananes du monde !

M. Dupin expliqua que le jeune singe allait bientôt prendre l'avion à destination de l'Afrique.

– C'est mieux pour lui. Là-bas, il pourra vivre avec d'autres chimpanzés. Eux au moins ne l'abandonneront pas. Mais il faudra beaucoup de temps et d'efforts avant qu'il puisse s'habituer à sa nouvelle vie dans la nature, loin des hommes et près des siens.

Manon comprit qu'elle allait devoir quitter Bonito. Des sanglots lui montèrent dans la gorge et, pour que M. Dupin ne la voie pas pleurer, elle enfouit son visage dans le pelage du chimpanzé.

7

Le samedi suivant, les imbattables et Florian furent invités chez M. et Mme Dupin pour dire adieu à Bonito. Chacun d'eux avait apporté un cadeau au petit singe : Fanny lui offrit un gros paquet de cacahouètes. Florian lui apporta une banane. Barnabé lui donna l'une de ses deux toupies préférées. Quentin lui dessina une carte de l'Afrique. Léo lui mit un collier de coquillages autour du cou et Manon lui offrit une photo des imbattables et de Florian, sur laquelle elle avait écrit : « Pour Bonito ». Le jeune chimpanzé applaudissait et riait à pleines dents.

– Vous lui avez rendu la joie de vivre, dit M. Dupin aux enfants, et je vous en remercie. Peut-être lui rappelez-vous le public qui l'acclamait au cirque lorsqu'il faisait son numéro…

Sur sa pelouse fraîchement coupée, M. et Mme Dupin avaient installé des tréteaux qui soutenaient des planches recouvertes de nappes blanches. Et sur les nappes trônaient des gâteaux au chocolat, des meringues, des cakes et des pichets de jus de fruits.

– Le buffet est ouvert ! lança Mme Dupin. Servez-vous !

Bonito n'avait pas attendu le signal pour s'emparer d'un cake entier. Barnabé et Léo voulurent le lui reprendre, mais ce fut peine perdue. Ensuite le petit singe fit quelques bêtises qui amusèrent beaucoup Manon : il voulut nettoyer les narines de Florian, dénouer les lacets des baskets de Barnabé et chatouiller les aisselles de Quentin. Et quand il voulut donner des fleurs à manger à Fanny, M. Dupin le gronda très fort, avec sa voix grave. Alors Bonito courut vers la véranda et se réfugia dans sa cage. Peu après, Manon l'y retrouva et lui murmura, dans le creux de l'oreille :

— Je ne t'oublierai jamais.

Bonito soupira bruyamment, et il eut un regard rempli d'une tristesse infinie.

*

Le lundi suivant, dans la cour de récréation de l'école, Fanny et Manon pensaient aux yeux verts de Florian. Il finissait une partie de football avec Léo, Barnabé et Quentin.

Puis Manon pensa à Bonito qu'elle ne reverrait sans doute pas. En tout cas, elle, jamais elle ne l'aurait abandonné, comme l'avait fait le fils de M. et Mme Dupin !

La sonnette de l'école retentit. La récréation était terminée. Florian et les imbattables retournèrent s'asseoir en classe.

– Prenez vos stylos, leur dit aussitôt M. Razulec, leur instituteur. Vous allez faire une rédaction dont voici le sujet : « Racontez une rencontre qui vous a bouleversés ».

Fanny et Manon, qui étaient assises côte à côte, se tournèrent l'une vers l'autre.

– Je sais ce que je vais raconter, dit Manon.

– Moi aussi, dit Fanny.

Elles échangèrent un regard complice et commencèrent à rédiger l'histoire qu'elles venaient de vivre avec le jeune chimpanzé abandonné par son maître. Elles débutèrent leur travail par la même phrase :

« Voici comment j'ai rencontré un petit singe dont le regard était d'une tristesse infinie… »

Mais, dans leur devoir, aucune d'elles n'écrivit une seule ligne sur les beaux yeux verts de Florian. Elles avaient bien trop peur que M. Razulec lise à haute voix leur rédaction devant toute la classe.

1

un **blog**
C'est un site qu'on crée sur Internet et sur lequel d'autres personnes peuvent écrire pour donner leur avis.

2

un **conseil de guerre**
Une réunion importante avant une bataille.

3

lâches
Peureux.

4

elle **acquiesça**
Manon est d'accord. Elle approuve Fanny.

5

elle **bredouilla**
Elle parla en articulant mal.

6

un **pressentiment**
Le sentiment qu'un événement va se produire.

7

un **œil-de-bœuf**
Petite fenêtre ronde ou ovale.

8

figée
Immobile.

9

hypnotisée
Manon est si étonnée qu'elle ne réagit plus.

10

il **réprima** un tremblement
Il fit un effort pour ne pas trembler.

11

le **stupéfia**
L'étonna beaucoup.

une **véranda**
Une pièce tout en vitres, contre une maison.

12
une grande **détresse**
Un sentiment
d'abandon,
de désespoir.

13
atterré
Si triste qu'il est
désespéré et n'a plus
la force de réagir.

14
un **prétexte**
Une fausse raison que
l'on donne pour cacher
la vraie.

15
un **pâle** sourire
Un tout petit sourire.

16
éprouvante
Très fatigante, difficile.

17
elle **s'affaisserait**
Elle tomberait.

18
désemparés
Ne sachant pas quoi
faire.

19
une **mine soucieuse**
Leur visage montre
qu'ils se font du souci.

20
la **stupeur**
Très grand étonnement.

21
épouiller les cheveux
Chercher des poux dans
les cheveux.

22
des **tréteaux**

23
les **aisselles**
Partie du corps située
sous le haut des bras.

61

Les aventures du rat vert

Super-Mamie et la forêt interdite

Les histoires de toujours

Ralette, drôle de chipie

L'école de Mme Bégonia

La classe de 6e

Conception graphique couverture : Pouty Design
Conception graphique intérieur : Jean Yves Grall • mise en page : Atelier JMH

Imprimé en France par Pollina, 85400 Luçon - L66311
Dépôt légal : n°97434- 2/01 - octobre 2013

PAPIER À BASE DE
FIBRES CERTIFIÉES

Hatier s'engage pour l'environnement en réduisant l'empreinte carbone de ses livres. Celle de cet exemplaire est de : **300 g éq. CO$_2$** Rendez-vous sur www.hatier-durable.fr

IMPRIM'VERT®